Santiago

Dirección editorial: Raquel López Varela

Coordinación editorial: Eva María Fernández e Irene Penas

Textos: Eva Veiga

Traducción al gallego: Begoña Varela Vázquez
Traducción al inglés: EURO:TEXT

Fotografías: Imagen MAS
        Miguel Sánchez y Puri Lozano (pp. 4, 14, 27a, 29, 40a, 41, 45b, 47,
        55, 61, 71b, 72a, 100, 126, 127, 129, 131b, 132, 139a, 139b, 162)
        Estudio Trece por Dieciocho (pp. 142, 153, 154, 155, 156, 158, 160)
        J. A. Gómez (pp. 157, 166)
        Pilar Aláez y Jorge Barreiro (p. 151)
        José Manuel Gutiérrez (p. 104)
        Agustín Berrueta (p. 150)

Diseño de cubierta: Luis Alonso Vega y Francisco A. Morais

Diseño de maqueta: Luis Alonso Vega

Maquetación: Fernando Pérez Manteiga

© EDITORIAL EVEREST, S. A.
Carretera León-A Coruña, km 5 - LEÓN
www.everest.es
ISBN: 84-241-0375-0
Depósito legal: LE. 1.392-2002
Printed in Spain - Impreso en España

EDITORIAL EVERGRÁFICAS, S. L.
Carretera León-A Coruña, km 5
LEÓN (España)

Santiago

MONUMENTAL
MYT
TURÍSTICA

Fotografías de IMAGEN MAS
Textos de Eva Veiga

EVEREST

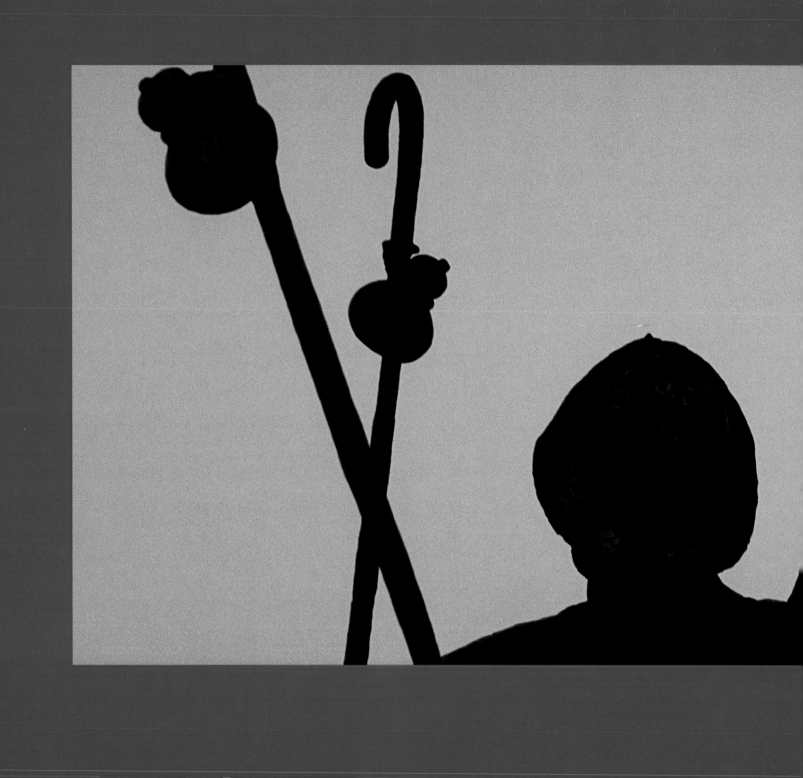

CIUDAD DE PEREGRINACI

Cidade de peregrinación
Pilgrimage City

Ciudad de peregrinación
Cidade de peregrinación
Pilgrimage city

Santiago

8

Ciudad de peregrinación

¿Qué fuerza le empuja? ¿Qué voz le llama?

Es el peregrino que viaja a Compostela. Es el que se hace extranjero de la tierra que pisa, pero sabe que el camino le pertenece ya para siempre. El que va despojándose del fugaz presente porque el tiempo que le adviene es una inmortal esperanza. Es el que se extraña de sí mismo porque busca el centro, la ciencia de su corazón. El que sigue a su estrella, la que le conduce a la estrella de siete puntas, la ciudad de las siete puertas.

El misterio es el grano, la semilla que muere bajo tierra para regenerar en fruto generoso y multiplicador.

Lo oculto se manifiesta en la luz.

Así el cuerpo del Apóstol, Santiago el Mayor, se le revela por la luz en noche oscura al eremita Pelaio.

Y será éste el germen, la voz ininterrumpida que durante más de mil años convoque a las almas del orbe entero a saciar aquí su sed de espiritualidad.

Porque aquí el arca contiene la presencia real y guarda el conocimiento como la concha encierra su perla.

Aquí el milagro que absuelve, purifica y redime.

El destino, la culminación de las pruebas que inician en una nueva vida.

Y señalando el lugar, la piedra. Piedra viva sobre piedra erigiendo un templo como un corazón del que irradian las arterias de una Ciudad Santa: trigal o mar al que fluyen todos los caminos.

Cidade de peregrinación

¿Que forza lle dá pulo? ¿Que voz o chama?

É o peregrino que viaxa a Compostela. É o que se fai estranxeiro da terra que pisa, mais sabe que o camiño lle pertence xa para sempre. O que vai desprendéndose do fugaz presente porque o tempo que chega é unha inmortal esperanza. É o que se estraña del mesmo porque procura o centro, a ciencia do seu corazón. É o que segue a súa estrela, a que o conduce á estrela de sete puntas, á cidade das sete portas.

O misterio é o gran, a semente que morre debaixo da terra para rexenerar en froito xeneroso e multiplicador.

O oculto maniféstase na luz.

Así o corpo do Apóstolo, Santiago o Maior, revélaselle pola luz en noite pecha ó eremita Pelaio.

E será este o xermolo, a voz ininterrompida que durante máis de mil anos convoque as almas do orbe enteiro a saciar aquí a súa sede de espiritualidade.

Porque aquí a arca contén a presencia real e garda o coñecemento como a cuncha encerra a súa perla.

Aquí o milagre que absolve, purifica e redime.

O destino, a culminación das probas que inician nunha nova vida.

E sinalando o lugar, a pedra. Pedra viva sobre pedra, erixindo un templo como un corazón do que irradian as arterias dunha Cidade Santa: trigal ou mar ó que flúen todos os camiños.

Pilgrimage City

Ciudad de peregrinación
Cidade de peregrinación
Pilgrimage City / Peregrinación

Santiago 9

What drives him? What calls him?

This is the pilgrim who travels to Compostela; the man who is foreign to the land he walks upon, but who knows that the road now belongs to him for always; the man who rids himself of the fleeting present because the future awaiting him is immortal hope; he who estranges himself from himself because he seeks the centre, the science of his heart; he is the man who follows his star, the star which leads him to the seven-pointed star, the city of seven gates.

The mystery is the grain, the seed that dies below ground to regenerate in generous multiplying fruit.

All things hidden show themselves in the light.

Thus, the body of the apostle Santiago el Mayor (St. James the Greater) is revealed by the light in the dark night to the hermit Pelaio.

And this is surely the seed, the uninterrupted voice that for over a thousand years has called the souls of the entire world to satisfy the their thirst for spirituality.

Because here, the chest contains the true presence and stores knowledge like a shell stores its pearl.

Here is the miracle that absolves, purifies and redeems.

Destiny, the culmination of the tests that begin with a new life.

And indicating the place, stone. Living stone upon stone, raising a church like a heart which sends out the arteries of a holy city: wheat field or sea to which all roads lead.

Santiago Ciudad de peregrinación
Cidade de peregrinación
Pilgrimage city
12

*Durante más de mil años y para miles de peregrinos, el Monte del Gozo es, al fin,
la deslumbrante visión de la Ciudad y su Luz.*

*Durante máis de mil anos e para miles de peregrinos, o Monte do Gozo é, á fin,
a cegadora visión da Cidade e da súa Luz.*

*For over a thousand years and for thousands of pilgrims,
the Monte del Gozo finally represents the vision of the city and its light.*

Ciudad de Peregrinación / Cidade de peregrinación / Pilgrimage city

También el seráfico
Francisco de Asís hizo
el Camino de Santiago
y en piedra de Galicia
lo inmortalizó el genio
de Asorey.
A la derecha,
Alfonso II «el Casto»,
considerado el primer
peregrino y fundador
de Compostela.

Tamén o seráfico
Francisco de Asís fixo
o Camiño de Santiago
e o xenio de Asorey
inmortalizouno
en pedra de Galicia.
Á dereita,
Afonso II «o Casto»,
considerado o primeiro
peregrino e fundador
de Compostela.

St. Francis of Assisi
also walked the Road
to Santiago
and was immortalised
in the stone of Galicia
by the genius
De Asorey.
To the right,
Alphonso II the Chaste,
considered as the first
pilgrim and founder
of Compostela.

Santiago 15 Ciudad de peregrinación
Cidade de peregrinación
Pilgrimage city

Santiago

Ciudad de peregrinación
Cidade de peregrinación
Pilgrimage city

16

*Toda puerta en Santiago
es símbolo de popular,
noble y Real
hospitalidad.*

Toda porta en Santiago
é símbolo de popular,
nobre e Real
hospitalidade.

*Every door in Santiago
is a symbol
of hospitality
that is popular,
noble and royal.*

Ciudad de Peregrinación / Cidade de peregrinación / Pilgrimage city

*Porta Santa
o de los Perdones,
que abre y cierra
cada año jubilar.*

*En la doble página
siguiente, Pórtico
de la Gloria:
el ilimitado milagro
de la fe y de la piedra.*

Porta Santa
ou dos Perdóns,
que abre e pecha
cada ano xubilar.

Na dobre páxina
seguinte, o Pórtico
da Gloria:
o ilimitado milagre
da fe e da pedra.

*Porta Santa
or de Los Perdones,
which opens
and closes during
each jubilee year.*

*Following
double page,
Portico de La Gloria:
the unlimited miracle
of faith and stone.*

Santiago **20** Ciudad de peregrinación
Cidade de peregrinación
Pilgrimage city

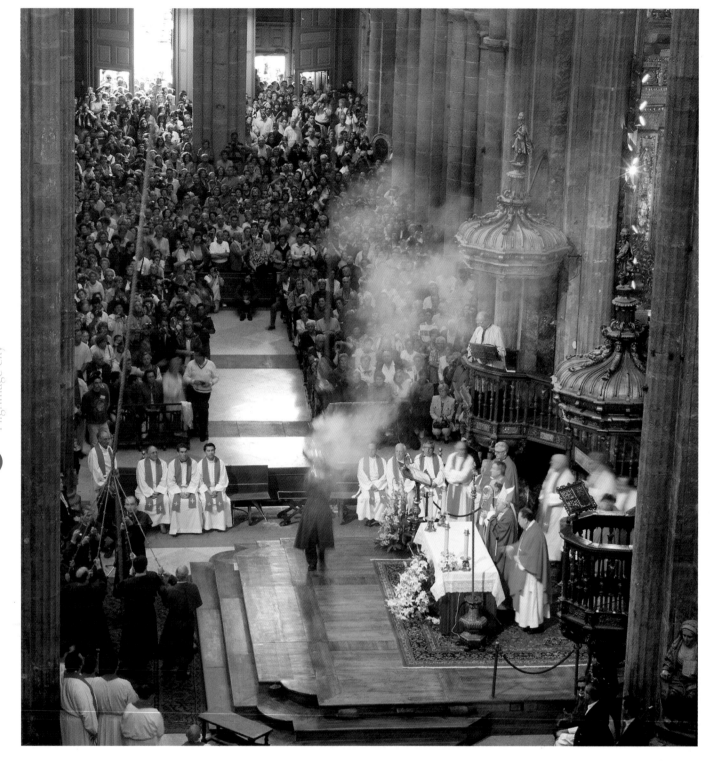

Vertiginoso, descomunal y solemne. El botafumeiro, dominado en su vuelo portentoso por los tiraboleiros, no es sólo el multitudinario incensario de la Catedral: es una conmoción física y espiritual.

Vertixinoso, descomunal e solemne. O botafumeiro, dominado no seu voo portentoso polos tiraboleiros, non é só o multitudinario incensario da Catedral: é unha conmoción física e espiritual.

Dizzy, enormous and solemn, the botafumeiro, controlled in its flight by the tiraboleiros, is not only the incense jar of the cathedral, it is also representative of physical and spiritual shock.

*Fuera y dentro, Santiago aguarda, como un seno extendido y abierto,
la llegada y el abrazo del peregrino.*

Santiago

22

Ciudad de peregrinación
Cidade de peregrinación
Pilgrimage city

Fóra e dentro, Santiago agarda, como un seo estendido e aberto,
a chegada e a aperta do peregrino.

*Outside and in, Santiago awaits, like an extended breast open,
to the arrival and embrace of the pilgrim.*

Ciudad de peregrinación / Cidade de peregrinación / Pilgrimage city

Sobre la Cruz de los Farrapos el peregrino desnudaba el cansancio del viaje
y en el interior del Hospital Real encontraría merecido cuidado y descanso.

Sobre a Cruz dos Farrapos o peregrino espía o cansazo da viaxe
e no interior do Hospital Real atoparía merecido coidado e descanso.

Santiago **24** Ciudad de peregrinación
Cidade de peregrinación
Pilgrimage city

Ciudad de peregrinación / Cidade de peregrinación / Pilgrimage city

On the Cross of Los Farrapos, the pilgrims unloaded the fatigue of the journey
and in the Hospital Real, they were to find deserved rest and care.

Santiago 25 Ciudad de peregrinación
Cidade de peregrinación
Pilgrimage city

Santiago

26

Ciudad de peregrinación
Cidade de peregrinación
Pilgrimage city

Ciudad de peregrinación / Cidade de peregrinación / Pilgrimage city

San Martín Pinario, capilla de Las Ánimas y Santa María de Conxo:
inspiración religiosa y artística que fue consolidando una ciudad eterna.

Ciudad de peregrinación
Cidade de peregrinación
Pilgrimage city

Santiago 27

San Martiño Pinario, capela das Ánimas e Santa María de Conxo:
inspiración relixiosa e artística que foi consolidando unha cidade eterna.

San Martín Pinario, the chapel of Las Ánimas and Santa María de Conxo:
religious and artistic inspiration that consolidated an eternal city.

Ciudad de peregrinación / Cidade de peregrinación / Pilgrimage city

El Obradoiro se asoma al occidente por la baranda neoclásica del Pazo de Raxoi.

O Obradoiro asómase ó occidente pola varanda neoclásica do Pazo de Raxoi.

The Obradoiro looks to the west from the neo-classical veranda of the Pazo de Raxoi.

Santiago

28

Ciudad de peregrinación
Cidade de peregrinación
Pilgrimage city

Ciudad de peregrinación / Cidade de peregrinación / Pilgrimage city

En 1220, en su segunda peregrinación a Santiago,
santo Domingo de Guzmán funda el convento dominico de Bonaval.

En 1220, na súa segunda peregrinación a Santiago,
san Domingos de Guzmán funda o convento dominico de Bonaval.

In 1220, during his second pilgrimage to Santiago,
St. Domingo de Guzman founded the Dominican convent of Bonaval.

Santiago 29 Ciudad de peregrinación
Cidade de peregrinación
Pilgrimage city

Mudan los tiempos, pero siempre es el mismo peregrino.

Santiago 30 Ciudad de peregrinación
Cidade de peregrinación
Pilgrimage city

Mudan os tempos, pero sempre é o mesmo peregrino.

Times change, but the pilgrim is always the same.

● Ciudad de peregrinación / Cidade de peregrinación / Pilgrimage city

Compostela: xardín de pedra que procura a luz
Compostela: garden of the stone in search of light

Compostela: jardín de piedra que busca la luz
Compostela: xardín de pedra que procura a luz
Compostela: garden of the stone in search of light

Compostela: jardín de piedra que busca la luz

Es el viento de la Historia –unas veces convulso, otras sereno– el que mueve sus hojas. Es la savia que llega por los caminos de Europa la que hace crecer sus troncos y extenderse sus ramas. Es siempre el tiempo del corazón el que hace brotar la diversidad de sus flores y su encarnado sol de poniente el que madura sus frutos.

Porque Compostela es un jardín de piedra que se abre en claros de plazas, claustros y parques, o se cierra en macizos de casas y pazos, iglesias y conventos.

Se ordena y se enreda en calles, rúas y ruelas. Bebe la luz por las copas de sus rosetones y sus cúpulas. Hunde sus plantas en ceniza y en secretas galerías. Hiende el cielo con sus torres, sus ángeles y sus pináculos.

Mas, sin duda, es el templo del Apóstol –raíz interminable que sembró el relámpago– el árbol más frondoso y fecundo de este lugar que trocó sus antiguos y asilvestrados bosques en sagrada y armoniosa geometría, en alucinada y orfebre florescencia.

Peregrinas siempre las nubes por este cielo eterno que el corazón del hombre constela de sueños y esperanzas.

Llueve y parece que llovieran antiguos mensajes que vinieran de lo hondo de la tierra.

Ceremonia de la lluvia despaciosa, sutil, que aterciopela el aire y en su densa atmósfera suspende mariposas de misterio y silencio.

Gracia de la lluvia que cae como cuentas de rosario deshaciéndose por los tejados y los muros, rompiéndose en el suelo en espejismos de cristal y ámbar.

Llueve y alguien bajo su paraguas camina nocturnamente sintiendo bajo sus pies la húmeda melancolía de las losas; camina porque un río de estrellas lo llevan, por vez primera, a la gran plaza. Y en ella se anega por donde El Franco y Fonseca desembocan.

Apenas mira. Acaso, escucha las gárgolas del Hostal Real dando rienda suelta a sus largas lenguas de agua.

Y cuando cree haber alcanzado ya la perspectiva necesaria, se detiene un instante. Y se vuelve.

No es exactamente asombro.

Es una extraña tristeza o felicidad.

Es en el pecho una desbordada plenitud de espacio y tiempo.

Es, la Catedral, una encendida estalagmita de lluvia. Y Compostela toda un trémulo sueño de luciérnagas.

Mas la noche se irá alejando y por su última orilla entrará gozosamente el día iluminando un laberinto de espejos.

Las sombras jugarán al escondite con las horas, y la luz resbalará por acantilados de oro y plata.

Santiago tiene de azabache y cristal los ojos.

Compostela: xardín de pedra que procura a luz

É o vento da Historia —unhas veces convulso, outras sereno— o que move as follas. É o zume que chega polos camiños de Europa o que fai medrar os seus troncos e estender as súas pólas. É sempre o tempo do corazón o que fai agromar a diversidade das súas flores e o seu encarnado sol de poñente o que madurece os seus froitos.

Porque Compostela é un xardín de pedra que se abre en claros de prazas, claustros e parques, ou se pecha en macizos de casas e pazos, igrexas e conventos.

Ordénase e enrédase en camiños, rúas e ruelas. Bebe a luz polas copas dos seus rosetóns e das súas cúpulas. Afonda as súas plantas en cinza e en secretas galerías. Fende o ceo coas súas torres, cos seus anxos e cos seus pináculos.

Mais, sen dúbida, é o templo do Apóstolo —raíz interminable que sementou o relampo— a árbore máis frondosa e fecunda deste lugar, que mudou as súas antigas e bravas fragas en sagrada e harmoniosa xeometría, en alucinada e ourive florescencia.

Peregrinas sempre as nubes por este ceo eterno que o corazón do home constela de soños e esperanzas.

Chove e parece que chovesen antigas mensaxes que viñesen do fondo da terra.

Cerimonia da chuvia sutil, que cae de vagariño, que aveluda o aire e que na súa densa atmosfera suspende bolboretas de misterio e silencio.

Gracia da chuvia que cae como doas de rosario, desfacéndose polos tellados e polos muros, rompendo no chan en espellismos de cristal e de ámbar.

Chove e alguén debaixo do seu paraugas camiña nocturnamente sentindo debaixo dos pés a húmida melancolía das lousas; camiña porque un río de estrelas o levan, por vez primeira, á gran praza. E nela anégase por onde o Franco e Fonseca desembocan.

A penas mira. Seica escoita as gárgolas do Hostal Real dando renda solta ás súas longas linguas de auga.

E cando cre xa que acadou a perspectiva necesaria, detense un intre. E vólvese.

Non é exactamente abraio.

É unha estraña mágoa ou felicidade.

É no peito unha desbordada plenitude de espacio e tempo.

É, a Catedral, unha acendida estalagmita de chuvia. E Compostela toda, un trémulo soño de vagalumes.

Mais a noite irase afastando e pola súa última beira entrará gozosamente o día iluminando un labirinto de espellos.

As sombras xogarán ás agachadas coas horas, e a luz esvarará por sumidoiros de ouro e prata.

Santiago ten de acibeche e cristal os ollos.

Compostela: jardín de piedra que busca la luz
Compostela: xardín de pedra que procura a luz
Compostela: garden of the stone in search of light

37

Santiago

Compostela: garden of the stone in search of light

It is the wind of history, at times convulsive, at times serene, which blows through its leaves. It is the sap that flows along the roads of Europe, which arrives with the food that makes its trunks grow and its branches stretch out. It is always the heartbeat that gives rise to the diversity of its bloom and the red sun of the west that ripens its fruit.

For Compostela is a garden of stone that opens up in the spaces of its squares, cloisters and parks, or is close and thick with blocks of houses and country manors, churches and convents.

It is ordered and tangled in streets, roads and alleys. It drinks in the light with its rose windows and domes. It sinks its plants in ash and secret galleries. It splits the sky with its towers, its angels and its pinnacles.

But, the church of the Apostle, an unending root that was sowed by lightning, is undoubtedly the leafiest and most fertile tree of this place, which blended its ancient woody forests in sacred and harmonious geometry, in amazing florescent gold work.

The clouds of this eternal sky, which the heart of man fills with constellations of dreams and hopes, have been pilgrims since time began.

It rains and it is as if it were raining ancient messages that came from the depths of the earth.

A ceremony of deliberate subtle rain which turns the air into velvet and hangs butterflies of mystery and silence in its dense atmosphere.

The graceful rain falls like rosary beads and becomes undone as it slides along the roofs and walls to break on the ground in mirages of glass and amber.

In the rain, someone under his umbrella walks though the night, feeling the melancholy damp of the stone slabs; he walks led by a river of stars for the first time to the great square, and once there, is overwhelmed by the place to where El Franco and Fonseca lead.

He hardly looks. If anything, he listens to the gargoyles of the Hostal Real letting loose their long watery tongues.

And when he thinks he has reached the necessary viewpoint he stops for an instant. And then he turns round.

It is not exactly amazement.

It is a strange sadness or happiness.

His chest feels a sensation of overwhelming fullness of space and time.

The cathedral is an illuminated stalagmite of rain. And all of Compostela is a trembling dream of glow worms.

But night gradually leaves and its last shore paves the way for the joyful entrance of day to light up a maze of mirrors.

Shadows play at hide and seek with time and light slides down cliffs of gold and silver.

Santiago has eyes of jet and glass.

Compostela: jardín de piedra que busca la luz
Compostela: xardín de pedra que procura a luz
Compostela: garden of the stone in search of light

Compostela: jardín de piedra que busca la luz / Compostela: xardín de pedra que procura a luz /
/ Compostela: garden of the stone in search of light

Santiago se abre y se cierra en plazas y claustros.
Praterías: Casa del Cabildo con su barroca fachada y fuente de los Caballos.
A la derecha, Plaza de Cervantes, también llamada del Pan o del Campo.

Santiago

42

Compostela: jardín de piedra que busca la luz
Compostela: xardín de pedra que procura a luz
Compostela: garden of the stone in search of light

Santiago ábrese e péchase en prazas e claustros.
Praza das Praterías: Casa do Cabido coa súa barroca fachada e fonte dos Cabalos.
Á dereita, Praza de Cervantes, tamén chamada do Pan ou do Campo

Compostela: jardín de piedra que busca la luz / Compostela: xardín de pedra que procura a luz /
/ Compostela: garden of the stone in search of light

Santiago opens and closes in squares and cloisters.
Praterías: Chapter House with its Baroque façade and fountain of Los Caballos.
Above, Plaza de Cervantes, also known as Plaza del Pan or del Campo.

Adviene el instante
y se demora en la piedra
o fugitivo resplandece
en el reflejo de la luz.
En Santiago,
el tiempo fluye
pero nunca en el vacío
se desboca.

Advén o instante
e enrédase na pedra
ou fuxidío resplandece
no reflexo da luz.
En Santiago,
o tempo flúe
pero nunca no baleiro
se desboca.

The instant comes
and comes slowly
on the stone
or shines runaway
in the light reflex.
In Santiago,
time flows
but it never bolts
into the hollow.

Compostela: jardín de piedra que busca la luz
Compostela: xardín de pedra que procura a luz
Compostela: garden of the stone in search of light

Alta la luz en el Parque de Carlomagno,
desciende por el Sarela
como un collar de reflejos
y en la Torre del Tesoro
se hace de oro viejo.

Alta a luz no parque de Carlomagno,
descende polo Sarela
como un colar de reflexos
e na Torre do Tesouro
faise de ouro vello.

High-up, the light in the Park of Carlomagno
comes down along the Sarela
like a necklace of reflections and turns
into old gold in the Tower of El Tesoro.

En la pequeña, pero evocadora, Plaza de Fonseca se agolpaban antaño los invidentes,
pues se creía que las aguas de su fuente curaban la ceguera.
A la derecha, convento de Belvís y Porta Faxeira.

Santiago

48

Compostela: jardín de piedra que busca la luz
Compostela: xardín de pedra que procura a luz
Compostela: garden of the stone in search of light

Na pequena, pero evocadora, praza de Fonseca amoreábanse antano os invidentes,
pois críase que as augas da súa fonte curaban a cegueira.
Á dereita, o convento de Belvís e a Porta Faxeira.

Compostela: jardín de piedra que busca la luz / Compostela: xardín de pedra que procura a luz /
/ Compostela: garden of the stone in search of light

Compostela: jardín de piedra que busca la luz
Compostela: xardín de pedra que procura a luz
Compostela: garden of the stone in search of light

Santiago 49

In the small but evocative Plaza de Fonseca (to the left),
the blind once came in the belief that the water of the spring cured blindness.
Above, the convent of Belvís and Porta Faxeira.

Compostela: jardín de piedra que busca la luz / Compostela: xardín de pedra que procura a luz /
/ Compostela: garden of the stone in search of light

Enramadas gárgolas, pétreas arborescencias, extrañas corolas como fuentes:
Compostela es jardín o bosque que una portentosa savia anima.

Santiago 50

Compostela: jardín de piedra que busca la luz
Compostela: xardín de pedra que procura a luz
Compostela: garden of the stone in search of light

Enramadas gárgolas, pétreas arborescencias, estrañas corolas como fontes:
Compostela é xardín ou bosque que un portentoso zume anima.

Compostela: jardín de piedra que busca la luz / Compostela: xardín de pedra que procura a luz /
/ Compostela: garden of the stone in search of light

Interwoven gargoyles, stone arborescence and strange corollas as fountains:
Compostela is a garden or forest brought to life by a wealth of sap.

Santiago

52

Compostela: jardín de piedra que busca la luz
Compostela: xardín de pedra que procura a luz
Compostela: garden of the stone in search of light

Abierto a la luz y al saber, el Campus Sur universitario.

Aberto á luz e ó saber, o Campus Sur universitario.

Open to light and learning, the southern Campus of the University.

Compostela: jardín de piedra que busca la luz / Compostela: xardín de pedra que procura a luz /
/ Compostela: garden of the stone in search of light

Santiago ⟨53⟩

Compostela: jardín de piedra que busca la luz
Compostela: xardín de pedra que procura a luz
Compostela: garden of the stone in search of light

En la antigua Plaza del Instituto, monumento a don Eugenio Montero Ríos,
ilustre político español nacido en Santiago.

Na antiga praza do Instituto, monumento a don Eugenio Montes Ríos,
ilustre político español nacido en Santiago.

In the old Plaza del Instituto, the monument to D. Eugenio Montero Ríos,
an illustrious Spanish politician who was born in Santiago.

La encendida rosa del día arde en sus últimos rescoldos.

A acendida rosa do día arde nos seus últimos rescaldos.

The illuminated rose of day burns out its last cinders.

Santiago 54 Compostela: jardín de piedra que busca la luz
Compostela: xardín de pedra que procura a luz
Compostela: garden of the stone in search of light

● Compostela: jardín de piedra que busca la luz / Compostela: xardín de pedra que procura a luz /
/ Compostela: garden of the stone in search of light

En el Paseo de la Alameda, la luz y la sombra tejen los encajes del tiempo.

No paseo da Alameda, a luz e a sombra tecen os encaixes do tempo.

In the Paseo de la Alameda, light and shadow weave the lace of time.

Compostela: jardín de piedra que busca la luz
Compostela: xardín de pedra que procura a luz
Compostela: garden of the stone in search of light

Compostela: jardín de piedra que busca la luz / Compostela: xardín de pedra que procura a luz /
/ Compostela: garden of the stone in search of light

Entrerrúas.
Pequeñas callejuelas
abrigan las sombras
y el humus
de una inabarcable
ciudad en sus grandes
y mínimos sucesos.

Entrerrúas.
Pequenas ruelas
abrigan as sombras
e o *humus*
dunha inabarcable cidade
nos seus grandes
e mínimos sucesos.

Entrerrúas.
Small narrow streets
cover the shadows
and the humus
of a vast city
in its great
and minimal events.

Os poetas

The poets

Los poetas

¿Quién habrá sido el poeta que dijo el martirio, y la prodigiosa travesía y la asombrosa peripecia de la llegada y el subterráneo silencio que esperaba germinar en místico lirio?

Fueron las palabras, las palabras de un poeta, las que fundaron la Historia; las que trazaron el camino; las que movieron a los hombres a buscarse más allá de sí mismos, en su alma.

Y el alma de Europa, como una vela inmensa, tuvo ya para siempre su inspiración en Compostela.

Inspiradas palabras. Palabras de los poetas.

A) AYRAS NUNES

A Santiagu'en romaria ven
el-rei madr', e praz-me de coraçon
por duas cousas, se Deus me perdon,
en que teño que me faz Deus gran ben:
ca verei el-rei, que nuca vi,
e meu amigo que ven con el.

B) ROSALÍA DE CASTRO

Volví entonces el rostro, estremecida,
hacia donde atrevida se destaca
del Cebedeo la celeste imagen,
como el alma del mártir, blanca y bella,
y vencedora en su caballo airoso,
que galopando en triunfo rasga el aire.

Y bajo el arco oscuro, en donde eterno
del oculto torrente el rumor suena,
me deslicé cual corza fugitiva,
siempre andando al azar, con aquel paso
errante del que busca en donde pueda
de sí arrojar el peso de la vida.
....
¡Ya yo no estaba sola! En armonioso grupo,
como visión soñada, se dibujó en el aire
de un ángel e una santa el contorno divino,
que en un nimbo envolvía vago el sol de la tarde.
....

(de *En las orillas del Sar*)

C) MANUEL MACHADO

....
¡Oh la melancolía
de un corazón de monja
tras el muro de negra sillería!
....
¡Oh callejas sonoras
por donde el agua eternamente corre!

(del poema «Santiago de Compostela»)

Los poetas / Os poetas / The poets

D) **UXÍO NOVONEYRA**

Cando soa a Berenguela
fala soa Compostela ela ela ela ela.

Cando a Berenguela soa soa soa soa soa
Compostela fala soa.

Fala soa Compostela
non son iles fala ela ela ela ela ela.

E) **FERMÍN BOUZA BREY**

O tempo dende a Torre
acantázame as horas;
e as lembranzas, rillotes asañados
búlranse nas revoltas
como demos fuxidos
do Pórtico da Groria.

(del poema «Aboio polas rúas»)

Velahí vén Isabel de Portugal, a raíña,
cun mangado de rosas; detrás Caramoniña
desfolla lilios brancos, non mais brancos que a cara
da que os trepa, a novicia porteira en Santa Crara
a quen gardou a Virxe as chaves do Mosteiro,
mentres de que ela amou; sigue o vello romeiro
Guillelme de Aquitania, que no Venres Maior
finou no voso tempro; e ao fin, morta de amor,
ceibando melodías, doorida e contrita,
envolveita en suspiros, desfila a «Favorita»...

(del poema «Louvores ao Señor Sant-Yago»)

F) **FEDERICO GARCÍA LORCA**

Chove en Santiago
na noite escura.
Herbas de prata e sono
cobren a valdeira lúa.

Olla a choiva pol-a rúa,
laio de pedra e cristal.
Olla no vento esvaído
soma e cinza do teu mar.

(de *Madrigal á cibdá de Santiago*)

G) **MIGUEL DE UNAMUNO**

Embozo de lluvia mansa
y terca, dulce consuelo,
llora riendo y se ríe
con tonada de gaitero.
Prisciliano y Rosalía,
morriña y botafumeiro;
cuenta leyendas remotas,
con sus conchas, el romero.

(del poema «Santiago de Compostela»)

H) **GERARDO DIEGO**

Aquella noche de mi amor en vela
grité con voz de arista aguda y fría:
–«Creced, mellizos lirios de osadía,
creced, pujad, torres de Compostela».
....
Ven pronto, mi vida.
No te tardes,
– Rúa Nueva Arriba, Rúa Nueva abajo–
te espero. Acuérdate.
Bajo el farol de María Salomé.

(de *Ángeles de Compostela*)

Os poetas

¿Quen sería o poeta que dixo o padecemento, e a prodixiosa travesía e a abraiante peripecia da chegada e o subterráneo silencio que agardaba xermolar en místico lirio?

Foron as palabras, as palabras dun poeta, as que fundaron a Historia; as que trazaron o camiño; as que moveron os homes a procurarse máis alá deles mesmos, na súa alma.

E a alma de Europa, como unha vela inmensa, tivo xa para sempre a súa inspiración en Compostela.

Inspiradas palabras. Palabras dos poetas.

A) AYRAS NUNES

A Santiagu'en romaria ven
el-rei madr', e praz-me de coraçon
por duas cousas, se Deus me perdon,
en que teño que me faz Deus gran ben:
ca verei el-rei, que nuca vi,
e meu amigo que ven con el.

B) ROSALÍA DE CASTRO

Volví entonces el rostro, estremecida,
hacia donde atrevida se destaca
del Cebedeo la celeste imagen,
como el alma del mártir, blanca y bella,
y vencedora en su caballo airoso,
que galopando en triunfo rasga el aire.

Y bajo el arco oscuro, en donde eterno
del oculto torrente el rumor suena,
me deslicé cual corza fugitiva,
siempre andando al azar, con aquel paso
errante del que busca en donde pueda
de sí arrojar el peso de la vida.
....
¡Ya yo no estaba sola! En armonioso grupo,
como visión soñada, se dibujó en el aire
de un ángel e una santa el contorno divino,
que en un nimbo envolvía vago el sol de la tarde.
....

(de *En las orillas del Sar*)

C) MANUEL MACHADO

....
¡Oh la melancolía
de un corazón de monja
tras el muro de negra sillería!
....
¡Oh callejas sonoras
por donde el agua eternamente corre!

(do poema «Santiago de Compostela»)

D) UXÍO NOVONEYRA

Cando soa a Berenguela
fala soa Compostela ela ela ela ela.

Cando a Berenguela soa soa soa soa soa
Compostela fala soa.

Fala soa Compostela
non son iles fala ela ela ela ela ela.

E) FERMÍN BOUZA BREY

O tempo dende a Torre
acantázame as horas;
e as lembranzas, rillotes asañados
búlranse nas revoltas
como demos fuxidos
do Pórtico da Groria.

(do poema «Aboio polas rúas»)

Velahí vén Isabel de Portugal, a raíña,
cun mangado de rosas; detrás Caramoniña
desfolla lilios brancos, non mais brancos que a cara
da que os trepa, a novicia porteira en Santa Crara
a quen gardou a Virxe as chaves do Mosteiro,
mentres de que ela amou; sigue o vello romeiro
Guillelme de Aquitania, que no Venres Maior
finou no voso tempro; e ao fin, morta de amor,
ceibando melodías, doorida e contrita,
envolveita en suspiros, desfila a «Favorita»...

(do poema «Louvores ao Señor Sant-Yago»)

F) FEDERICO GARCÍA LORCA

Chove en Santiago
na noite escura.
Herbas de prata e sono
cobren a valdeira lúa.

Olla a choiva pol-a rúa,
laio de pedra e cristal.
Olla no vento esvaído
soma e cinza do teu mar.

(de *Madrigal á cibdá de Santiago*)

G) MIGUEL DE UNAMUNO

Embozo de lluvia mansa
y terca, dulce consuelo,
llora riendo y se ríe
con tonada de gaitero.
Prisciliano y Rosalía,
morriña y botafumeiro;
cuenta leyendas remotas,
con sus conchas, el romero.

(do poema «Santiago de Compostela»)

H) GERARDO DIEGO

Aquella noche de mi amor en vela
grité con voz de arista aguda y fría:
–«Creced, mellizos lirios de osadía,
creced, pujad, torres de Compostela».
....
Ven pronto, mi vida.
No te tardes,
– Rúa Nueva Arriba, Rúa Nueva abajo–
te espero. Acuérdate.
Bajo el farol de María Salomé.

(de *Ángeles de Compostela*)

The poets

Who could have been the poet that spoke of martyrdom, of the prodigious crossing, of the amazing adventure of the arrival and of the subterranean silence that hoped to germinate into a mystical lily.

History was founded on words, on the words of a poet; words which traced out the road and which moved men to find themselves beyond their own limits, in their very soul.

And the soul of Europe, like a huge sail, could always find its inspiration in Compostela.

Inspired words. Words of poets.

A) AYRAS NUNES

A Santiagu'en romaria ven
el-rei madr', e praz-me de coraçon
por duas cousas, se Deus me perdon,
en que teño que me faz Deus gran ben:
ca verei el-rei, que nuca vi,
e meu amigo que ven con el.

B) ROSALÍA DE CASTRO

Then I turned my head, trembling,
Towards where the celestial image
Dares to stand above the Cebedeo,
Like the martyr's soul, white and beautiful,
And victor on its graceful horse,
Which cuts the wind in its triumphant gallop.

And beneath the dark arch where eternal,
The hidden torrent murmurs,
I slid down like a fugitive deer,
Ever walking anywhere, with the roving gait
Of one who searches for a place
To rest the heavy weight of life.
....
At last I was not alone! In a harmonious group,
As if a vision from a dream, the wind traced out
The divine outline of an angel and a saint,
Which the lazy evening sun enshrouded in a nimbus.
....

(from By *the River Sar*)

C) MANUEL MACHADO

....
Oh the melancholy
Of a nun's heart
Behind the wall of black stalls!
....
Oh noise-laden streets
Through which water eternally flows!

(from the poem «Santiago de Compostela»)

D) UXÍO NOVONEYRA

Cando soa a Berenguela
fala soa Compostela ela ela ela ela.

Cando a Berenguela soa soa soa soa soa
Compostela fala soa.

Fala soa Compostela
non son iles fala ela ela ela ela ela.

E) **FERMÍN BOUZA BREY**

O tempo dende a Torre
acantázame as horas;
e as lembranzas, rillotes asañados
búlranse nas revoltas
como demos fuxidos
do Pórtico da Groria.

(from the poem «Aboio polas rúas»)

Velahí vén Isabel de Portugal, a raíña,
cun mangado de rosas; detrás Caramoniña
desfolla lilios brancos, non mais brancos que a cara
da que os trepa, a novicia porteira en Santa Crara
a quen gardou a Virxe as chaves do Mosteiro,
mentres de que ela amou; sigue o vello romeiro
Guillelme de Aquitania, que no Venres Maior
finou no voso tempro; e ao fin, morta de amor,
ceibando melodías, doorida e contrita,
envolveita en suspiros, desfila a «Favorita»...

(from the poem «Louvores ao Señor Sant-Yago»)

F) **FEDERICO GARCÍA LORCA**

Chove en Santiago
na noite escura.
Herbas de prata e sono
cobren a valdeira lúa.

Olla a choiva pol-a rúa,
laio de pedra e cristal.
Olla no vento esvaído
soma e cinza do teu mar.

(from *Madrigal á cibdá de Santiago*)

G) **MIGUEL DE UNAMUNO**

Embozo de lluvia mansa
y terca, dulce consuelo,
llora riendo y se ríe
con tonada de gaitero.
Prisciliano y Rosalía,
morriña y botafumeiro;
cuenta leyendas remotas,
con sus conchas, el romero.

(from the poem «Santiago de Compostela»)

H) **GERARDO DIEGO**

That night, awake, of my love
I called out sharp and cold:
–«Grow, bold twin lilies,
Grow, upwards, towers of Compostela».
....
Come quick, my love,
Do not come late,
– At the top or bottom of the Rúa Nueva–
I await. Do not forget.
Beneath the street lamp of María Salomé.

(from *Angels of Compostela*)

Popular, espiritual e íntima.
Así, en tonos diversos se aproximaron los poetas a lo indecible.

Popular, espiritual e íntima.
Así, en tons diversos, se achegaron os poetas ó indicible.

Los poetas / Os poetas / The poets

Popular, spiritual and intimate.
Thus, in different tones, the poets approached the unspeakable.

La Berenguela o Torre del Reloj, tan bien plantada, tan bien cantada…
En blanco mármol, que esculpió Ferreiro y cantó Rosalía, el apóstol Santiago cabalga el viento de la Historia.
Abajo, Parque de Santo Domingo de Bonaval.

A Berenguela ou Torre do Reloxo, tan ben chantada, tan ben cantada…
No branco mármore, que esculpiu Ferreiro e cantou Rosalía, o apóstolo Santiago cabalga o vento de Historia.
Abaixo, o parque de San Domingos de Bonaval.

The Berenguela or Clock Tower, so good planted, so good song…
The apostle St. James rides on the winds of history, in white marble sculpted by Ferreiro and spoken by Rosalía.
Below, the Park of Bonaval.

Doble página anterior,
Colegiata de Santa María del Sar.

En esta página, Rosalía de Castro:
inspiración románica y aliento romántico
que respiró esta poeta universal,
que siempre será la voz de todos.

Dobre páxina anterior,
Colexiata de Santa María do Sar.

Nesta páxina, Rosalía de Castro:
inspiración románica e alento romántico
que respirou esta poeta universal,
que sempre será a voz de todos.

Previous double
page, Colegiata de Santa María del Sar.

On this page, Rosalía de Castro:
Romanic inspiration and romantic
air breathed by this universal poet,
who will always be the voice
of us all.

Los poetas / Os poetas / The poets

En Santo Domingo de Bonaval,
en el Museo do Pobo Galego:
Panteón de Gallegos Ilustres.

En San Domingos de Bonaval,
no Museo do Pobo Galego:
o Panteón dos Galegos Ilustres.

In Bonaval,
in the Museum of O Pobo Galego:
Pantheon of illustrious Galicians.

Rúa das Trompas y convento de Belvís.
A la derecha, estudiantes y castañero ambulante.
También de nostalgia se tiñe o se escribe el porvenir.

Rúa das Trompas e convento de Belvís.
Á dereita, estudiantes e castañeiro ambulante.
Tamén de nostalxia se tingue ou se escribe o porvir.

To the left, Rúa das Trompas and the convent of Belvis.
Above, students and a travelling chestnut-seller.
The future is also tainted or written with nostalgia.

Parque del Auditorio.
A la derecha, Casa de la Conga y Puerta de Praterías:
en lo más hondo del tiempo presente reverbera el eco bíblico en la viola del rey David.

Parque do Auditorio.
Á dereita, Casa da Conga e porta de Praterías:
no máis fondo do tempo presente reverbera o eco bíblico na viola do rei David.

The Park of El Auditorio.
To the right, House of La Conga and Puerta de Praterías:
far back in time, the biblical echo reverberates on King David's viola.

*Con evidente
sabor local,
Pérez Lugín recrea
la vida estudiantil
compostelana
en su novela*
La casa de la Troya.

Con evidente
sabor local,
Pérez Lugín recrea a
vida estudiantil
compostelá
na súa novela
La casa de la Troya.

*Evidently local in
flavour, Pérez Lugín
recreates the student life
of Compostela
in his novel*
La Casa de Troya.

Los poetas / Os poetas / The poets

Vista aérea sobre la plaza del Obradoiro, Colegio de San Xerome y Colegio de Fonseca.
A la izquierda, Quintana dos Mortos y Colegio de San Clemente.
También las letras fueron brazo heroico en defensa de la Independencia.

Vista aérea sobre a praza do Obradoiro, Colexio de San Xerome e Colexio de Fonseca.
Á esquerda, Quintana dos Mortos e Colexio San Clemente.
Tamén as letras foron brazo heroico en defensa da Independencia.

Aerial view of the Plaza do Obradoiro, the College of San Xerome and the College of Fonseca.
To the left, Quintana dos Mortos and the College of San Clemente.
Words also played a historical part in the fight for Independence.

San Lorenzo de Trasouto e iglesia de San Martín Pinario.
Santiago nos revelará siempre el misterioso latido de su druídico origen.

San Lourenzo de Trasouto e igrexa de San Martiño Pinario.
Santiago revelaranos sempre o misterioso latexo da súa druídica orixe.

Los poetas / Os poetas / The poets

San Lorenzo de Trasouto and the church of San Martín Pinario.
Santiago will always show us the mysterious beat of its druidic origin.

LA MÚSICA

A música

Music

La música

Mirad este aire que parece ensimismarse en un extraño silencio...

Pero, ahora, cerrad los ojos y escuchad.

En las duras bóvedas de su cuerpo blando vibra aún un lejano eco, vuelo sonoro y transparente de aquella primera paloma desprendida del metal opaco.

Campana primera, obertura que estallaba con su dura luz en la oscura pupila del mundo, llamando.

Llaman, anuncian, dicen, lloran en Compostela sus campanas.

Despierta o se recoge el alma de las piedras. Se conmueven los ancianos músicos y el rey David tensa el arco de su arpa.

En el fondo del tiempo cae la salmodia de la fuente mientras, en idéntico modo, el canto de los monjes, como una escala invisible, al cielo asciende.

Y son las fuentes todas el polifónico reflejo de un himno innumerable de voz e incienso. Ultreia.

Compostela es la música.

Unos cantan al sonido de las cítaras, otros al de las liras, otros al de los tímpanos, otros acompasados de flautas, otros de pífanos, otros de trompetas, otros de violas, otros de salterios...

Pero no sabía Aymerich Picaud, aquel asombrado caminante, que un día en el sagrado recinto de los templos reverberarían casi visibles las secretas notas de un órgano. Alas de un arcángel batiendo en los cuerpos, arrobo y cúpulas en fuga.

Fuera, también la música rescata a la vida de su condición sorda y fugaz.

Domingos de orquesta y alameda; sonatas evaporándose por los altos ventanales del estío; serenatas de tunas y rondallas tejiendo con sus cintas y sus voces anillos de sol y luna; músicos callejeros que habitan la nostalgia de juglares y trovadores que, en otro tiempo, prodigaron su alegría por rúas, plazas y palacios, y supieron como nadie tañer encendidas palabras de piedad y de amor.

Pero, ahora, abrid los ojos y escuchad.

Una sinfonía de silencios está sonando...

A música

Ollade este aire que parece ensimesmarse nun estraño silencio...

Pero, agora, pechade os ollos e escoitade.

Nas duras bóvedas do seu corpo mol vibra aínda un afastado eco, voo sonoro e transparente daquela primeira pomba desprendida do metal opaco.

Campá primeira, obertura que estalaba coa súa dura luz na escura pupila do mundo, chamando.

Chaman, anuncian, din, choran en Compostela as súas campás.

Esperta ou recóllese a alma das pedras. Conmóvense os vellos músicos e o rei David tensa o arco da súa arpa.

No fondo do tempo cae a salmodia da fonte mentres, de idéntico xeito, o canto dos monxes, como unha escala invisible, ascende ó ceo.

E son as fontes todas ó polifónico reflexo dun himno innumerable de voz e de incenso. Ultreia.

Compostela é a música.

Uns cantan ó son das cítaras; outros, ó das liras; outros, ó dos timbais; outros, compasados de frautas; outros, de chifres; outros, de trompetas; outros, de violas; outros, de salterios...

Mais non sabía Aymerich Picaud, aquel abraiado camiñante, que un día, no sagrado recinto dos templos, reverberarían case visibles as secretas notas dun órgano. Ás dun arcanxo batendo nos corpos, arroubo e cúpulas en fuga.

Fóra, tamén a música rescata a vida da súa condición xorda e efémera.

Domingos de orquestra e alameda; sonatas evaporándose polas altas ventás do estío; serenatas de tunas e roldas, tecendo coas súas bandas e coas súas voces aneis de sol e lúa; músicos errantes que habitan a nostalxia de xograres e trobadores que, antano, prodigaron a súa ledicia polas rúas, prazas e pazos, e souberon como ninguén tanguer acendidas palabras de piedade e de amor.

Mais, agora, abride os ollos e escoitade.

Unha sinfonía de silencios está soando...

Music

Look at this air, which seems to become engrossed in a strange silence...

But now, close your eyes and listen.

The hard vaults of its soft body vibrate with a distant echo, the noisy and transparent flight of the first pigeon to fly off from the opaque metal.

First bell, an overture that exploded with its harsh light in the dark pupil of the world, calling.

The bells of Compostela call, announce, say and cry.

It awakens or raises the souls of the stones. The ancient musicians are moved and King David tenses the arc of his harp.

The psalmody of the fountain falls into the bottom of time and in the same way, the singing of the monks ascends to the sky like an invisible scale.

And the fountains are all the polyphonic reflection of an innumerable hymn of voice and incense. Ultreia.

Compostela is music.

Some sing to the sound of zithers, others to that of lyres, others to that of drums, others to that of flutes, others to fifes, others to trumpets, others to violas, others de psaltery...

However, Aymerich Picaud, that amazed pilgrim, did not know that one day the sacred enclosure of the churches would almost visibly reverberate with the secret notes of an organ. The wings of an archangel beating on the bodies, trances and domes in a fuga.

Outside, music also rescues life from its deaf and fleeting condition.

Sundays filled with orchestra and avenue; sonatas evaporating through the high windows of summer; serenades of tunas and street musicians weaving rings of sunshine and moonlight with their ribbons and voices: street musicians that live the nostalgia of minstrels and troubadours which, in another time, spread their joy through streets, squares and palaces, and were better than anyone at ringing out passionate words of piety and love.

But now, open your eyes and listen.

A symphony of silences is sounding…

Qué mejor bienvenida
al peregrino que anhela penetrar
en el sagrado recinto
que los regios e iniciáticos
acordes de la lira.

Qué mellor benvida
para o peregrino que anhela
penetrar no sagrado recinto
que os rexios e iniciáticos
acordes da lira.

What better welcome
for the pilgrim who longs
to enter the sacred enclosure
than the regal opening chords
of the lyre.

*En la escalinata
de la Fachada Barroca,
esta escultura
románica
parece guardar
y anunciar un tesoro,
una inspirada verdad,
el más glorioso himno
esculpido en piedra.*

Na escalinata
da Fachada Barroca,
esta escultura
románica parece
gardar e anunciar
un tesouro,
unha inspirada
verdade,
o máis glorioso himno
esculpido en pedra.

*On the staircase
of the Baroque façade,
this Romanesque
sculpture seems
to keep and announce
its treasure,
an inspired truth,
the most glorious
hymn ever sculpted
in stone.*

Por plazas y calles, la música: peregrinas flores invisibles.
En la página siguiente, coro de San Martín Pinario, obra de Mateo de Prado
y una de las sillerías barrocas más importantes de Galicia.

Por prazas e rúas, a música: peregrinas flores invisibles.
Na páxina seguinte, coro de San Martiño Pinario, obra de Mateo de Prado
e un dos cadeirados barrocos máis importantes de Galicia.

La música / A música / Music

Through squares and streets, music: invisible pilgrim flowers.
Above, the choir of San Martín Pinario, by Mateo de Prado,
and one of the most important Baroque choir stalls in Galicia.

De milenaria tradición, la música en Compostela habita todos los ámbitos y se expresa en todos los registros.
Sede del Instituto Gallego de Artes Escénicas y Musicales,
y Templete de la Música en la Alameda.

De milenaria tradición, a música en Compostela habita todos os ámbitos e exprésase en todos os rexistros.
Sede do Instituto Galego de Artes Escénicas e Musicais,
e Pavillón da Música na Alameda.

With its thousand-year-old tradition, the music in Compostela inhabits all parts and can be heard in all registers.
Seat of the Galician Institute of Music
and Drama and the Bandstand in La Alameda.

La música / A música / Music

*Callada, la música
espera su hora.
Órgano y campanas
de la Catedral.*

Calada, a música
agarda a súa hora.
Órgano e campás
da Catedral.

*In silence, music
waits its time.
Organ and bells
in the cathedral.*

Sin duda, ningún instrumento como la gaita interpreta el alma de Galicia.
A la derecha, Puerta de la Música de Chillida, en Bonaval.

Sen dúbida, ningún instrumento como a gaita interpreta a alma de Galicia.
Á dereita, Porta da Música de Chillida, en Bonaval.

Undoubtedly, no instrument interprets the soul of Galicia like the bagpipe.
To the right, Puerta de la Música de Chillida, in Bonaval.

La música / A música / Music

*Todos los ritmos
del mundo suenan
en Santiago.*

Todos os ritmos
do mundo soan
en Santiago.

*All the rhythms
of the world beat
in Santiago.*

La música / A música / Music

*Y cualquier lugar
es el escenario
perfecto.*

*E calquera lugar
é o escenario
perfecto.*

*And any place
is a perfect stage.*

Inefable la hora en que, al unísono, todas las campanas de Compostela echan al vuelo,
como una bandada de pájaros, sus vibrantes notas.

Inefable a hora na que, ó unísono, todas as campás de Compostela soltan polo aire,
como unha bandada de paxaros, as súas vibrantes notas.

The moment when all the bells of Compostela simultaneously toll their vibrant notes into flight
like a flock of birds is indescribable.

Como dormido, el silencio en la despierta sombra.

Como durmido, o silencio na esperta sombra.

As sleeping, silence in the awake shadow.

La música / A música / Music

VIDA Y MEMORIA

Vida e memoria
Life and memory

Vida y memoria

Vida y memoria
Vida e memoria
Life and memory

116

Santiago

Vida y memoria coexisten aquí en porosa simbiosis.

La memoria es el humus en el que la vida brota a cada instante. Y son infinitos los instantes que al unísono hacen de Compostela una ciudad perenne.

Por los intersticios del tiempo y de la piedra las inefables sombras del pasado van y vienen, y se entrecruzan con el vivaz presente.

A nadie extrañe intuir por entre la miscelánea población que hoy transita –estudiantes, clérigos, tenderos, profesores, peregrinos, orfebres, ambulantes, funcionarios, monjas, poetas– las etéreas figuras de los que fueron: un carismático prelado, una cuadrilla de canteros y su maestro, un religioso escolar y otro docto, concheiros y cambeadores, hidalgos, plateros, mendigos, mercaderes o insignes peregrinos a caballo...

Es posible que todo esto suceda en el trasiego, en el bullicio nunca estridente, en el silencio de calles, plazas y jardines.

Pero también dentro, en su interior recoleto, Santiago vive su otra vida de ciencia, de arte y de pensamiento.

Madruga en rezos.

Trasnocha en extravíos y felices encuentros.

Conversa siempre en todas las lenguas de la tierra.

Se hace rural en sus fiestas y mercados.

Se rompe y se expande Compostela en hogueras de artificio y en boato. Santiago sabe recibir y entregar.

Santiago tiene siempre abierta su gloriosa puerta.

Vida e memoria

Vida e memoria coexisten aquí en porosa simbiose.

A memoria é o *humus* no que a vida abrocha a cada instante. E son infinitos os instantes que en harmonía fan de Compostela unha cidade perenne.

Polos intersticios do tempo e da pedra as inefables sombras do pasado van e veñen, e entrecrúzanse co vivaz presente.

Que a ninguén lle estrañe intuír a miscelánea poboación que hoxe transita —estudiantes, clérigos, tendeiros, profesores, peregrinos, ourives, ambulantes, funcionarios, monxas, poetas— as etéreas figuras dos que foron: un carismático prelado, unha cuadrilla de canteiros e o seu mestre, un relixioso escolar e outro douto, concheiros e cambiadores, fidalgos, prateiros, mendigos, comerciantes ou insignes peregrinos dacabalo...

Se cadra todo isto acontece na trasfega, no bulicio endexamais estridente, no silencio de rúas, prazas e xardíns.

Pero tamén dentro, no seu interior recolecto, Santiago vive a súa outra vida de ciencia, de arte e de pensamento.

Madruga en rezos.

Trasnoita en extravíos e felices encontros.

Conversa sempre en todas as linguas da terra.

Faise rural nas súas festas e feiras.

Rómpese e expándese Compostela en cacharelas de artificio e en boato. Santiago sabe recibir e entregar.

Santiago ten sempre aberta a súa gloriosa porta.

Life
and memory

Vida y memoria
Vida e memoria
Life and memory

Santiago 117

Life and memory coexist here in porous symbiosis.

Memory is the humus in which life buds at every instant. And the instants are infinite as they as one turn Compostela into a perennial city.

With the intervals of time and the stone, the ineffable shadows of the past come and go and mingle with the life-filled present.

May no one be surprised should they see among the miscellaneous population which today moves through the city (students, priests, shopkeepers, teachers, pilgrims, goldsmiths, door-to-door salesmen, civil servants, nuns, poets) the ethereal figures of yesteryear: a charismatic prelate, a team of stoneworkers and their master, a student priest and other scholars, concheiros and cambeadores, nobles, silversmiths, beggars, merchants or distinguished pilgrims on horseback...

All of this may happen in the coming and going, in the never raucous hustle and bustle, in the silence of the streets, squares and gardens.

But also within, in its quiet interior, Santiago lives its other life of science, art and thought.

Dawn arrives in prayer.

Night is spent partying in misdoings and glad meetings.

Conversations are held in all the languages of the world.

It becomes rural with its festivals and markets.

Compostela breaks and expands in bonfires of craftsmanship and show. Santiago knows how to give and receive.

The glorious door of Santiago is always open.

Frente al convento de las Mercedarias, el Arco de Mazarelos es el único vestigio de las antiguas murallas.
Y en Val de Deus, el convento de San Francisco.

Fronte do convento das Mercedarias, o Arco de Mazarelos é o único vestixio das antigas murallas.
E na rúa do Val de Deus, o convento de San Francisco.

Opposite the convent of Las Mercedarias, the Arch of Mazarelos is the only vestige of the ancient city walls.
And in Val de Deus, the convent of San Francisco.

● Vida y memoria / Vida e memoria / Life and memory

Pasan y se encuentran,
y cruzan las gentes
por el Toural:
de Bautizados a Huérfanas,
A Caldeirería,
O Preguntoiro…,
o al revés.

Pasan e atópanse, e cruzan
as xentes polo Toural:
dos Bautizados ás Orfas,
a Caldeirería,
o Preguntoiro…,
ou ó revés.

The people pass by
and meet and pass
by the Toural:
from Bautizados
to Huérfanas, Caldeirería,
Preguntoiro…
or the other way round.

Cosmopolita, pero sobre todo europeísta, Compostela señala esa unidad de espíritu y de destino.
Palacio de Congresos y Plaza Europa.

Cosmopolita, pero sobre todo europeísta, Compostela sinala esa unidade de espírito e de destino.
Pazo dos Congresos e praza de Europa.

Cosmopolitan, but above all European, Compostela represents that unity of spirit and destiny.
Palace of Congresses and Plaza Europa.

Vida y memoria / Vida e memoria / Life and memory

*Campus Sur: cada año miles de estudiantes
se suceden y renuevan las aulas de la Universidad que el arzobispo Fonseca
fundara a principios del siglo XVI.*

Campus Sur: cada ano miles de estudiantes
se suceden e renovan as aulas da Universidade que o arcebispo Fonseca
fundara a principios do século XVI.

*The Southern Campus: each year, thousands of students arrive and renew
the lecture theatres of the university founded by Archbishop Fonseca
at the beginning of the 16th century.*

Santiago **125** Vida y memoria
Vida e memoria
Life and memory

Casa de la Parra:
aquí maduran las uvas de la vida
como instantes redondos,
como dilatadas y lentas ondas.
A la derecha, Pazo de Bendaña;
hoy, Museo Eugenio Granell.

Casa da Parra:
aquí maduran as uvas da vida
como instantes redondos,
como dilatadas e lentas ondas.
Á dereita, Pazo de Bendaña;
hoxe, Museo Eugenio Granell.

House of La Parra:
here, the grapes of life ripen
like round-shaped instants,
like dilated, slow waves.
To the right, Pazo de Bendaña,
nowadays the Eugenio Granell Museum.

Santiago **127** Vida y memoria
Vida e memoria
Life and memory

Vida y memoria
Vida e memoria
Life and memory

Santiago 130

*Antigua y moderna
a un tiempo,
esta ciudad es un incesante
fluir de vida,
común marea que anega
el alma y los sentidos.*

Antiga e moderna
a un tempo,
esta cidade é un incesante
fluír de vida,
común marea que anega
a alma e os sentidos.

*Ancient and modern
at the same time,
this city is an unending flow
of life, like a tide
that overwhelms the soul
and the senses.*

*Monumental y clásica
fachada del edificio
de la Universidad.
Contigua, la fachada
y torre barrocas
de la Iglesia
de la Universidad,
antes de los jesuitas.*

Monumental e clásica
fachada do edificio
da Universidade.
Lindeira, a fachada
e torre barrocas
da Igrexa
da Universidade,
antes dos xesuítas.

*Monumental
and classical façade
of the university.
To the side,
the Baroque façade
and tower
of the church
of the university,
previously
of the Jesuits.*

Campus Norte: Facultad de Ciencias Económicas
y Facultad de Ciencias de la Información.

Vida y memoria
Vida e memoria
Life and memory

Santiago 134

Campus Norte: Facultade de Ciencias Económicas
e Facultade de Ciencias da Información.

Santiago **135**

Vida y memoria
Vida e memoria
Life and memory

*The North Campus: faculty of Economics
and the faculty of Information Science.*

Santiago

136

Vida y memoria
Vida e memoria
Life and memory

Vida y memoria / Vida e memoria / Life and memory

*El ocio y la cultura
en Compostela son,
sin duda,
creativas
manifestaciones
de su calidad de vida.*

O lecer e a cultura
en Compostela son,
sen dúbida,
creativas
manifestacións
da súa calidade
de vida.

*Leisure and culture
are undoubtedly
creative expressions
of the standard
of living.*

Aunque la festividad del Apóstol, el 25 de julio, y la de la Ascensión, sexta semana después de jueves santo, son las principales celebraciones de Santiago, la ciudad vive permanentemente en solemne y chispeante júbilo.

Aínda que a festividade do Apóstolo, o 25 de xullo, e a da Ascensión, a sexta semana despois do xoves santo, son as principais celebracións de Santiago, a cidade vive permanentemente en solemne e chispeante xúbilo.

Although the feast day of the Apostle, on 25th July, and that of the Ascension, the sixth week after Holy Thursday, are the main festivals in Santiago, the city lives in permanent solemn sparkling joy.

Gastronomía
Gastronomy

Gastronomía

Reserva Santiago un goce que es para el espíritu y el cuerpo. Es su buena mesa.

Nadie, mínimamente sensato, por muy frugal que su apetito sea o por muy escaso que sea su bolsillo, puede no darse el gusto de entrar en relación con sus caldos y pucheros.

Desde los ambientes más tabernarios hasta los más refinados comedores, la variedad de pitanza y zumaque es ciertamente peregrina. No en vano, la ciudad santa es destino de una rica procesión de viandas que traen todo el sabor y el paisaje del país gallego.

Por ello, al caminante, ahora vagaroso, no debe preocuparle en exceso donde hace recalar sus huesos, pues cualquier rincón puede, a la postre, resultar sublime.

Incluso la tasca que se ofrece en apariencia lóbrega, quizás nos depare el espontáneo recitado de unos versos entre los efluvios de un ligero Ulla, un espeso Barrantes o un púrpura Mencía.

Y entre estrofa y trago, aceptará de buen grado el paladar un mejillón atigrado, un par de xoubas, unos bígaros, unas navajas o una tapa de condimentada oreja.

Se trata, al fin, de hacer gana, de iniciarse en el camino de perfección que son las caldeiradas de pescado, los panteísticos cocidos, las atávicas lampreas o los frutos que el mar regala envueltos en duras y plurales simetrías: nécoras, centollas, langosta, lubrigantes, percebes, vieiras, santiaguiños...

Y, pues no olvida Santiago su universal vocación, de la artesanal empanada hace magnífico surtido: argumento de bacalao, xoubas, bonito, zamburiñas, calamares, pulpo..., y ya que mentamos al calvo cefalópodo decir que á feira o con patatas es manjar que el buen comensal codicia.

Pero, detengámonos, que el cielo de la boca sugiere la radical inspiración del vino: sacratísimo Amandi, fragantes y expresivos ribeiros, prestigioso Albariño, armoniosos y cromáticos de El Rosal y Condado, Valdeorras, Monterrei... Gloriosas vides de esta tierra y de las otras que también hasta aquí hacen la sagrada ruta.

Por todo lo dicho, huelga decir que comer en Compostela requiere un cierto reposo que, sin duda, propiciará la sosegada plática y ésta se alargará en exquisita sobremesa si nos decidimos a hacerle los honores a su extremada repostería: dulces de las monjas de San Paio, cabello de ángel, filloas, tartas de almendra, sin olvidar los inimitables quesos de tetilla que elaboran en Arzúa.

Y, pues toda liturgia tiene su epílogo, nada más ritual y confortante que una cunca de queimada, rescoldo de un fuego que conjura pesadas digestiones y meigallos.

Gastronomía

Reserva Santiago un gozo que é para o espírito e o corpo. É a súa boa mesa.

Ninguén, minimamente sensato, por moi frugal que sexa o seu apetito ou por moi escaso que sexa o seu peto, pode non darse o gusto de entrar en relación cos seus caldos e pucheiros.

Dende os ambientes máis tabernarios ata os máis refinados comedores a variedade de comida e bebida é abofé peregrina. Non en van, a cidade santa é destino dunha rica procesión de viandas, que con elas traen todo o sabor e a paisaxe do país galego.

Por iso, ó camiñante, agora repousado, non lle debe preocupar en exceso onde fai recalar os seus ósos, xa que calquera recuncho, pode, ó cabo, resultar sublime.

Mesmo a tasca que se ofrece en aparencia lóbrega, quizais nos depare o espontáneo recitado duns versos entre os efluvios dun lixeiro Ulla, un espeso Barrantes ou un púrpura Mencía.

E entre estrofa e trago, aceptará de bo grao o padal un mexillón atigrado, un par de xoubas, uns caramuxos, unhas navallas ou unha tapa de condimentada orella.

Trátase, á fin, de facer gana, de iniciarse no camiño de perfección que son as caldeiradas de peixe, os panteísticos cocidos, as atávicas lampreas ou os froitos que o mar regala envoltos en duras e plurais simetrías: nécoras, centolas, lagostas, lumbrigantes, percebes, vieiras, santiaguiños...

E, pois non esquece Santiago a súa universal vocación, da artesanal empanada fai magnífica variedade: argumento de bacallao, xoubas, bonito, zamburiñas, luras, polbo..., e, xa que amentamos o calvo cefalópodo, dicir que á feira ou con patacas é manxar que o bo comensal cobiza.

Pero, deteñámonos, que o ceo da boca suxire a radical inspiración do viño: sacratísimo Amandi, recendentes e expresivos ribeiros, prestixioso Albariño, harmoniosos e cromáticos do Rosal e Condado, Valdeorras, Monterrei... Gloriosas vides desta terra e das outras que tamén ata aquí fan a sagrada rota.

Por todo o dito, está de máis dicir que comer en Compostela require un certo repouso que, sen dúbida, propiciará a acougada conversa e esta alongarase en exquisita sobremesa se nos decidimos a facerlle os honores á súa extremada repostería: doces das monxas de San Paio, cabelo de anxo, filloas, tortas de améndoa, sen esquecer os inimitables queixos «de tetilla» que elaboran en Arzúa.

E, pois toda liturxia ten o seu epílogo, nada máis ritual e confortante que unha cunca de queimada, rescaldo dun lume que conxura pesadas dixestións e meigallos.

Gastronomy

Santiago reserves one enjoyment for the spirit and the body: its good food.

Nobody with the least common sense, however poor his appetite or his pocket, is unable to enjoy its wines and food. From the most authentic taverns to the most refined of restaurants, the variety of grub and drink is most certainly of pilgrim ilk. Not in vain, the holy city is the destination of a wealthy procession of meats that offer the full flavour and countryside of Galicia.

For this reason, the pilgrim, now tired, should not be excessively worried where to rest his bones, for at the end of the day, any place can be sublime.

Even the apparently dark and gloomy bar may offer the spontaneous recital of a few lines among the glasses of a light Ulla, a heavy Barrantes or a purple Mencía.

And between verse and drink, the palate will happily accept a mussel, a couple of xoubas, a few winkles, razor shells or an aperitif of tasty pig's ear.

After all it is an attempt to open the appetite, to pave the way for the perfection of the fish caldeiradas, the pantheistic cocidos, the atavistic lampreys or the fruit the sea offers wrapped in hard and many-shaped symmetries: small crabs, spider crabs, lobster, barnacles, vieiras, santiaguiños...

Santiago does not forget its universal vocation, and of the traditional empanada (patty), it offers a magnificent selection of fillings: cod, xoubas, tuna fish, zamburiñas, squid, octopus..., and since we mention the bald-headed cephalopod, we must not forget that when it is cooked á feira or with potatoes, it is a delicacy coveted by any gourmet.

But, let us stop, for the palate is radically inspired by wine: the most sacred Amandi, fragrant and expressive ribeiros, the prestigious Albariño, the harmonious and colourful wines of El Rosal and Condado, Valdeorras, Monterrei... Glorious vines of this land and others that have followed the sacred route to this destination.

After all that has been said, there is no need to declare that eating in Compostela requires a certain amount of time, which will undoubtedly lead to relaxed conversation that will stretch out over an exquisite after-meal chat if we choose to honour its delicate confectionery: sweets of the nuns of San Paio, cabello de ángel, filloas, almond tarts, without forgetting the inimitable tetilla cheeses made in Arzúa.

And, as all liturgy has its epilogue, nothing more ritual and comforting than a cunca de queimada, embers of a fire that deals with hard digestions and meigallos.

Gastronomía / Gastronomía / Gastronomy

*En el mejor restaurante o en un puesto ambulante,
el pulpo á feira, con cachelos, guisado, en empanada…*

No mellor restaurante ou nun posto ambulante,
o polbo á feira, con cachelos, guisado, en empanada...

*In the best restaurant or at a street stall,
octopus á feira, with cachelos, stewed or in a pie…*

*Productos naturales
del mar y de la tierra,
que en Compostela
adquieren el valor
de exquisito
bien cultural.*

Productos naturais
do mar e da terra,
que en Compostela
adquiren o valor
de exquisito
ben cultural.

*Natural products
from the sea and land,
which in Compostela
become an exquisite
cultural asset.*

*Sútiles y secretas variaciones pueden convertir una consuetudinaria
combinación simplemente en un plato genial.*

*Sutís e secretas variacións poden converter unha consuetudinaria
combinación simplemente nun prato xenial.*

*Subtle and secret variations are capable of turning an everyday combination
into a plate full of genius.*

Gastronomía / Gastronomía / Gastronomy

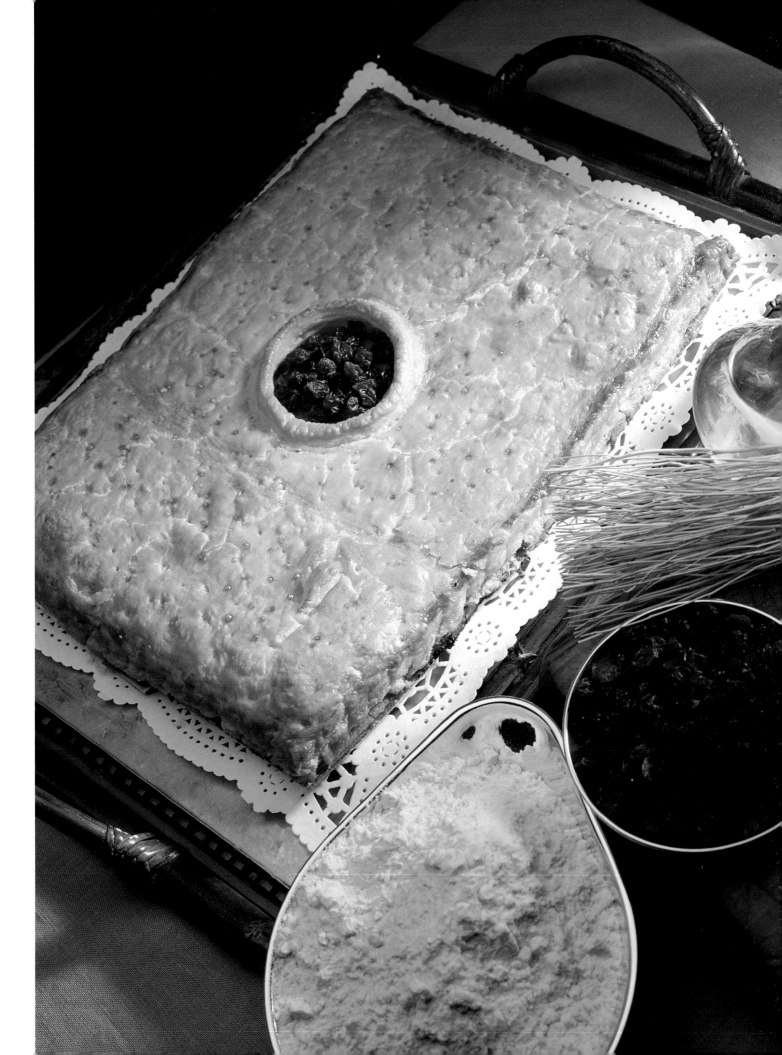

El queso es un ser vivo que no sólo posee denominación de origen,
sino que en el trato intercambia afectos, acentos, confidencias.

O queixo é un ser vivo que non só posúe denominación de orixe,
senón que no trato intercambia afectos, acentos e confidencias.

Gastronomía / Gastronomía / Gastronomy

Cheese is a living being that not only has designation of origin,
but also exchanges emotions, accents and secrets as it is eaten.

Institucións político-administrativas
e outros servicios
Political-administrative institutions
and other services

Instituciones político-administrativas y otros servicios.
Institucións político-administrativas e outros servicios
Political-administrative institutions and other services

Instituciones político-administrativas y otros servicios

Santiago de Compostela, como meta de peregrinación que es, vive una continua regeneración espiritual y material, que se manifiesta de manera evidente en su arquitectura. Y no sólo en la recuperación y reutilización de edificios históricos, sino muy especialmente en la construcción y creación de nuevos espacios que dotan a la urbe de los servicios necesarios y propios de una ciudad de vanguardia.
Vanguardia estética y funcional que los más prestigiosos arquitectos gallegos, españoles y extranjeros supieron armonizar con un entorno que es Patrimonio de la Humanidad.
Compostela es, asimismo, capital de Galicia y una de las capitales culturales de Europa; no en balde, está en marcha uno de los proyectos en este sentido más ambiciosos y vanguardistas del mundo: la Ciudad de la Cultura, en el monte Gaias.
Su condición de centro institucional —tanto político, religioso, universitario o artístico— le exige dar respuesta a una serie de demandas que, sin duda, cumple con creces.
Porque Santiago es punta de flecha, ésa que señala el camino y que igualmente apunta al futuro.

Institucións político-administrativas e outros servicios

Santiago de Compostela, como meta de peregrinación que é, vive unha continua rexeneración espiritual e material, que se manifesta de maneira evidente na súa arquitectura. E non só na recuperación e reutilización de edificios históricos, senón moi especialmente na construcción e na creación de novos espacios que dotan a urbe dos servicios necesarios e propios dunha cidade de vangarda.

Vangarda estética e funcional que os máis prestixiosos arquitectos galegos, españois e estranxeiros souberon harmonizar cun contorno que é Patrimonio da Humanidade.
Compostela é, así mesmo, capital de Galicia e unha das capitais culturais de Europa; non en balde, está en marcha un dos proxectos neste sentido máis ambiciosos e vangardistas do mundo: a Cidade da Cultura, no monte Gaias.
A súa condición de centro institucional —tanto político, relixioso, universitario ou artístico— esíxelle dar resposta a unha serie de demandas que, sen dúbida, ela cumpre amplamente.
Porque Santiago é punta de frecha, esa que sinala o camiño e que igualmente apunta ó futuro.

Political-administrative institutions and other services

Santiago de Compostela, as the destination of a pilgrimage, experiences continued spiritual and material regeneration, which is made evident in its architecture; not only in the recuperation and reuse of historical buildings, but more especially in the construction and creation of new spaces that provide Santiago with the services that are necessary and appropriate for an avant garde city.

Aesthetic and functional avant garde that the most prestigious architects of Galicia, Spain and abroad have known how to harmonise with surroundings that have been declared to be of World Heritage.

Compostela is also the capital of Galicia and one of the cultural capitals of Europe; not in vain, one of the most ambitious and avant garde projects of this kind in the world is currently underway: the City of Culture, on mount Gaias.

Its condition as a political, religious, university and artistic institutional centre requires it to provide for a series of demands to which it unquestionably responds more than adequately.

For Santiago is the tip of an arrow which points the way and points to the future.

Instituciones político-administrativas y otros servicios.
Institucións político-administrativas, e outros servicios
Political-administrative institutions and other services

Santiago

165

En la doble página anterior, San Caetano: edificio administrativo de la Xunta de Galicia.

En estas páginas: Centro Galego de Arte Contemporánea, Observatorio Astronómico de la Universidad, Antiguo Hospital General y Laboratorio de Ciencias de la Facultad de Química.

En la doble página siguiente, Parlamento de Galicia.

Instituciones político-administrativas y otros servicios
Institucións político-administrativas e outros servicios
Political-administrative institutions and other services

Santiago 168

Na dobre páxina anterior, San Caetano: edificio administrativo da Xunta de Galicia.

Nestas páxinas: Centro Galego de Arte Contemporánea, Observatorio Astronómico da Universidade, Antigo Hospital Xeral e Laboratorio de Ciencias da Facultade de Química.

Na dobre páxina seguinte, Parlamento de Galicia.

Previous double page, San Caetano: governmental building of the Xunta de Galicia (regional government).

These pages: Galician Centre for Contemporary Art, Astronomical Observatory of the University, Former General Hospital and Science Laboratory of the Chemistry Faculty.

Following double page, Parlamento de Galicia.

Índice
Index

Índice / Índice / Index